D0298261

In deze serie:

het ALLESBOEK over Uitvindingen

Tekst
Martijn Min

Tekeningen
Sieger Zuidersma

NEDERLANDSE
KINDERJURY
2006

Nur 210/LP030501
© Uitgeverij Kluitman Alkmaar B.V.
Omslagontwerp: Sieger Zuidersma en Design Team Kluitman

www.kluitman.nl

Hallo toekomstige uitvinder

Een boek vol uitvindingen? Zijn er dan zoveel?
Lees dit Allesboek maar eens. Dan zul je het zelf zien.

Er zijn veel beroemde uitvindingen. Zoals het vliegtuig.
Het heeft honderden jaren geduurd voor we konden
vliegen. Eerst in een luchtballon, daarna in een vliegtuig.
In dit boek lees je daarover. En je leest over de uitvinding
van de televisie. De radio en de telefoon. Chocola en
limonade, de computer. Mes en vork en een grote
stoommachine. Over de eerste pizza, een bril en een
boek, zoals dit.

...MMM...(SMAK)...MES? VORK?...

Je leest over grote gebeurtenissen. Over beroemde
mensen. Zoals een schietgrage president en een blote
uitvinder. En over een boze koning en een stuk zeep!
Lees dus maar gauw verder.

5

Een uitvinding?
Wat is dat?

Nieuw!

Een uitvinding is iets nieuws. Iets dat nog niet bestaat.
Iets dat je voor het eerst maakt. Er zijn heel veel
uitvindingen. Want er zijn veel dingen voor het eerst
gemaakt. Een fiets, een auto, een motor, een telefoon,
een bed, een tikkende klok. Iemand heeft die dingen ooit
bedacht. En iemand heeft ze voor het eerst gemaakt.

Een uitvinding komt niet zomaar uit de lucht vallen.
Daar moet je vaak goed over nadenken. En je moet er
heel hard aan werken. Soms gaat het goed. Vaak gaat
het mis. Maar als het eenmaal af is…

ECHT GEBEURD...

Het stuk zeep is al heel oud. De Romeinen gebruikten het in bad. De Grieken wasten er hun kleren mee. Je wordt er lekker schoon van. En je gaat er heerlijk van ruiken. Maar zeep is niet altijd fijn. Vraag maar eens aan Lodewijk de 14de. Hij was de koning van Frankrijk in de 17de eeuw.

Zijn vrouw zei: 'Wat stink je, Lodewijk! Ga je eens wassen.'

Lodewijk rook aan zijn haar. Hij keek naar zijn handen. 'Bah, je hebt gelijk. Mijn handen zijn zwart als inkt. En ik stink naar knoflook. Ik laat een stuk super-zeep maken. Daar ga ik me dan eens grondig mee wassen.'

De koning riep zijn drie beste zeepmakers bij elkaar. Hij vroeg ze een stuk zeep te maken. Het mooiste stuk zeep van het hele land. En natuurlijk moest het lekker ruiken. De drie mannen gingen aan de slag. Vier weken lang werkten ze eraan. En de koning maar stinken.

Na die vier weken toverden ze een prachtig stuk zeep te voorschijn. Alleen werd de koning er niet schoon van... Hij werd knalrood! En het stuk zeep prikte als een egel.

8

Kop d'r af...

De koning werd boos. Heel boos! Hij sloeg hard met zijn vuist op tafel. Hij was rood. En niet alleen van woede. 'Breng mij de uitvinders van dit stuk zeep!' schreeuwde hij door het paleis.
De wacht bracht ze binnen. De zeepmakers trilden van angst. Maar de koning kende geen genade. Hij liet de arme mannen onthoofden!

GOED POETSEN! JULLIE MOETEN PIEKFIJN OP HET SCHAVOT!

Natte voeten! *Zeep (1000 jaar voor Christus)*
Wassen doe je met water en zeep. In bad of onder de douche. Vroeger waste niet iedereen zich met zeep. Alleen rijke mensen. Dat deden ze in de badkuip. Arme mensen wasten zich in de rivier. Eigenlijk is dat veel leuker. Dan kun je meteen zwemmen of een vis vangen. Of naar de bodem duiken. Op zoek gaan naar verborgen schatten.

ZO ZIE JE MAAR WEER, DAT BADEN HEEL GOED VOOR JE IS!

Kleine boten, grote boten

Wat zul je veel zien in de rivier. Al die boten die voorbij
komen varen. Stoomboten, zeilboten, roeiboten en
motorboten. Rubberboten en houten boten. En al die
kapiteins en matrozen. Hard aan het werk op het houten
dek. Met hun houten zwabbers en misschien een
kapitein... met een houten been!

HOUTWORM!

Vinden of uitvinden?

Is hout eigenlijk ook een uitvinding? Nee, want hout was
er altijd al. Het groeide gewoon uit de grond. Als een
boomstam. Maar de mensen ontdekten dat ze van hout
dingen konden maken. Zoals speren, en een pijl en boog.
Een boot of een kunstbeen.
Eigenlijk is hout net zoiets als ijzer en goud en olie. Dat
werd ook niet uitgevonden. Het was er altijd al. De
mensen vonden het in de grond. En maakten daar
dingen van.
Van ijzer maakten ze zwaarden. Van goud mooie ringen.
En van olie werd plastic gemaakt. Zwaarden, ringen en
plastic. Dat zijn dus wel uitvindingen.

Dit raad je nooit!

Wat is geen uitvinding, en wat wel?

a. papier
b. vuur
c. brood

d. klei
e. hond
f. wiel
g. glas
h. water
i. bijl
j. gras

k. goud
l. stoel
m. plastic

11

Zoek de uitvindingen!

Dit is de zolder van professor Mik. Wat zie je voor uitvindingen?

Eigenlijk is alles op deze tekening een uitvinding. Behalve professor Mik en poes Miauw natuurlijk...

13

Heel lang geleden

Niks

Miljoenen jaren geleden leefden er al mensen op aarde.
De wereld bestond toen uit water, land en wilde dieren.
Verder was er niks. Daarom vonden de mensen dingen
uit. Dingen om te jagen, en dingen om het warm te
krijgen. Dingen om vooruit te komen. En dingen om een
boom om te hakken.

Wat was er het eerste?

De mensen maakten bijlen en speren. Ze bakten potten
boven het vuur. Ze vonden een wiel uit om mee te rijden.
En ze staken in een boot de rivier over. Steeds weer
vonden de mensen iets nieuws uit.
Maar: wat was nu de eerste uitvinding? De speer? Pijl en
boog? Het wiel, of de boot? Het vuur misschien? Nee,
dat is geen uitvinding. Het vuur kwam vanzelf. Als de
bliksem insloeg. Of als in de buurt een vulkaan uitbarstte.

Vuurdans

Maar zo vaak sloeg de bliksem niet in. En bijna nooit
barstte een vulkaan uit. Wat deden ze dan om vuur te
krijgen? Kropen ze een vulkaan in? Dansten ze de
vuurdans? Nee, ze bedachten hoe ze zelf vuur konden
maken. Dat was wel een uitvinding. Maar was dat ook de
eerste…?

DE EERSTE UITVINDING

De eerste uitvinding is het stenen werktuig. Een stuk
steen waarmee je kon hakken of snijden. De eerste
mensen maakten hun gereedschap van steen. Ze sloegen
er tegenaan met een andere steen. Dan sprong er een
stukje af. Ze gingen door tot de steen scherp genoeg
was. Om het vlees te snijden. Of om de huid van een dier
schoon te schrapen, zodat ze er kleren van konden
maken. Het oudste werktuig is wel 3,5 miljoen jaar oud!

Honger!

In de prehistorie hadden de mensen geen dikke
winterjas. En ze konden niet altijd schuilen als het
regende. Er was geen winkel waar ze vlees en groenten
verkochten. Dus gingen de mannen op jacht. Ze vingen
dan een mammoet. Een soort olifant van soms wel vijf
meter hoog. Daar kon een hele familie tijden van eten.
Maar de jacht was gevaarlijk. En vaak vingen ze niks. Dan
aten ze planten of bessen. Wie honger heeft, eet alles!

15

Aan tafel!

Als de mensen vroeger aten, gingen ze dan aan tafel?
Net als wij? En zaten ze op een stoel? Of op de grond?
Hadden ze al borden en pannen? Een vork om mee te
eten? Een lepel voor de soep? Wanneer zijn die dingen
eigenlijk uitgevonden?

Kookpot *Pottenbakken (15.000 voor Christus)*

Als je klei warm maakt, wordt het hard. De mensen
maakten er daarom potten van. En ze bakten die op het
vuur. In de potten konden ze koken. En eten bewaren.
Later bakten de mensen ook bakstenen van klei. Daar
bouwden ze huizen en wegen van.

Hé, daar zit ik! *Stoel (5000 voor Christus)*

De eerste stoelen werden gemaakt voor koningen. De
koningen van Egypte. Ze waren mooi versierd. Met
gouden en zilveren tekeningen. Gewone mensen zaten
op de grond. Of op stenen banken.
De stoel van de koning was heilig. Daar zat niemand
anders op. En als de koning dood was? Dan nam hij zijn
stoel mee in zijn graf! Want ook na zijn dood wilde hij
lekker zitten.

Ha! Een nieuw wapen! *Vork (1500)*

Met je handen eten. Vroeger was dat heel gewoon.
En lekker makkelijk. Dat vond koning Edward van
Engeland ook.
Op een dag was hij jarig. Al zijn vrienden kwamen op
bezoek. Op hun paarden reden ze door de poort het
kasteel binnen. Met stapels cadeaus onder hun arm.
De koning kreeg een nieuw zwaard. Een zadel voor zijn
paard. En een mooie gouden ring. Er was ook een goede
vriend uit Italië. Die gaf hem een zilveren vork.
'Ha, een nieuw soort wapen!' riep Edward blij. Hij sprong
uit zijn stoel. 'Wie gaat er mee op jacht?'
Zijn gast begon hard te lachen. 'Dat is niet om mee te
jagen! Dat is een vork. Om mee te eten!'

Vissenkom *Bril (1280)*

Maakte koning Edward soms een grapje? Of was hij
misschien blind? Nee hoor, hij kon prima zien. Hij wist
alleen niet wat een vork was. Trouwens, als hij niet goed
kon zien... had hij wel een bril opgezet! Want die
bestond al in 1500. Al rond 1300 waren er monniken die
een bril droegen. Monniken schreven en lazen veel. Een
bril was dus erg handig. Veel handiger dan... een
vissenkom.

Groot

Een vissenkom? Ja, daar keken de Arabieren doorheen.
Die werkte hetzelfde als een bril. Als ze door de kom met
water keken… zagen ze alles groter dan het was!
Misschien is zo de bril wel uitgevonden.

WAAAH! EEN REUZENSPIN!

DOE HET ZELF!

Dit heb je nodig:
een glas
water
je duim

En nu aan de slag

Giet het glas vol met water. Houd het voor je gezicht.
Houd je duim er achter. Kijk door het glas. Hé, je duim
is ineens veel groter! De Arabieren zagen dat al heel
lang geleden. Hoe komt dat? Dat komt doordat het glas
bol is. Kijk maar eens goed naar een bril. Dan zie je dat
een brillenglas ook bol is.
O ja! Nu je dat glas toch in je hand hebt… Pak maar
eens een glazen bak. Of een diepe schaal. Als je er maar
doorheen kunt kijken. Laat de bak vollopen met water.
Keer het glas om. De opening wijst naar beneden. Duw
het glas nu langzaam in het water. Je zult zien dat er
geen water in loopt. Dat kan ook niet. Want er zit al
lucht in.

Blub blub! *Duikerklok (1690)*

Misschien heeft Edmund Halley het proefje met het glas ook wel gedaan. Want hij maakte in 1690 een soort houten kolom. Die zag er net zo uit als jouw omgekeerde glas. Je kon er alleen niet doorheen kijken. Hij noemde zijn uitvinding een 'duikerklok'. Edmond hing er stenen aan. Zo werd de duikerklok zwaar. Hij zakte in zee. Bijna tot op de bodem. In de klok kon Edmund gewoon ademhalen. Want er zat nog lucht in. Net als in jouw glas. Zo kon hij zonder duikpak onder water. Met een ton werd er steeds nieuwe lucht in Edmunds duikerklok gelaten.

Dit raad je nooit!

1. Wat is de oudste uitvinding?
   Misschien weet jij het.
   Kun je deze uitvindingen in de juiste volgorde zetten?
   Zet de oudste vooraan.
   a. wiel
   b. computer
   c. bril
   d. telefoon

2. Vroeger woonden de mensen in een grot.
   Wat hadden ze niet in die grot?
   a. vuur
   b. potten
   c. stoel
   d. speer
   e. wind

3. Waarvan zijn nog nooit huizen gebouwd?
   a. hout
   b. poep
   c. klei
   d. ijs
   e. stro

Oplossingen:

1. De goede volgorde is: a, c, d, b.
2. c. De stoel werd pas veel later uitgevonden.
3. Van al deze materialen zijn wel eens huizen gebouwd!

Best handig, al die uitvindingen!

Het is niet waar!

Als je op vakantie gaat, kun je met de auto gaan. Of met de boot. Met de trein of met het vliegtuig. Dat doet iedereen. Dat is heel gewoon.
Als het donker wordt, doe je het licht aan. Dat is ook heel gewoon. En wil je weten hoe laat het is? Dan kijk je gewoon even op de klok.

Maar dat was niet altijd zo. Lang geleden bestond er geen trein. Er was geen gloeilamp. Of een klok. Er was zelfs geen auto! Totdat... iemand hem bedacht.
Mensen hebben altijd van alles uitgevonden. Dat deden ze duizenden jaren geleden al. En dat doen ze nu nog. Hadden ze het koud? Dan moesten ze vuur maken. Dat leerden ze al snel. Lees maar op de volgende bladzij.

21

Au, heet! *Vuur maken (7000 voor Christus)*

Flits! Paf! Dat is schrikken als de bliksem inslaat. Vroeger waren de mensen juist blij als dat gebeurde. Brand, er was brand! Joepie!

Ze staken een lange stok in het vuur. En namen het mee om een kampvuur te maken. 's Nachts bleef er altijd iemand wakker. Die gooide steeds nieuw hout op het vuur. Zo ging het nooit uit. Ja, als het ging regenen. Of als de vuurwaker ook in slaap viel.

Brrr, koud!

Dan konden de anderen wel heel boos worden. En schelden en slaan. Maar er was toch niets aan te doen. Er zat maar één ding op... Wachten op nieuwe bliksem. Totdat de mensen uitvonden hoe ze zelf vuur konden maken. Ze sloegen stenen tegen elkaar. Daar kwam dan een vonk vanaf. Door de vonk vloog het hout in de brand. Of ze wreven twee stokjes tegen elkaar. Heel hard. Zo hard dat ze er warm van werden. Dan vlogen ze vanzelf in de brand.

Zwaar werk   *Wiel (3500 voor Christus)*

'Hee! Ho! Hee! Ho!' riep de opperbaas tegen de slaven.
De koning van Egypte knikte tevreden. De slaven trokken
grote, zware stenen over dikke boomstammen. De
stammen rolden over de grond. De stenen lagen er
bovenop. Zo rolden de stenen naar de woestijn. En die
arme slaven maar werken... In de brandende zon. De
koning van Egypte liet van de enorme stenen een
piramide bouwen.

Licht werk

Maar wat als de bomen op waren? Moesten de slaven
dan weer nieuwe kappen? Nee, ze haalden die achter de
steen weer op. En legden die vooraan.
Maar: een wiel is toch veel handiger? Dat rolt tenminste
lekker met je mee. Zou iemand door die stammen op het
idee gekomen zijn?

DE SLIMSTE UITVINDING

Eén ding is zeker. Het wiel maakte het leven een stuk makkelijker. Misschien is het wel de slimste uitvinding ooit! Als iemand iets doms doet, zeggen mensen soms: 'Die heeft het wiel niet uitgevonden.'

MAKKELIJKER?!
IK VIND HET LOODZWAAR!

Varken te koop!
Geld (600 voor Christus)

Vroeger ruilden de mensen alles. Een koe voor tien kippen. Een varken voor een zak meel. Maar wie gaat er nu met zijn varken naar de bakker? En wat heb je aan tien kippen als je geen eieren lust? Daar vonden de Chinezen wat op. Ze noemden het: 'geld'. De eerste munten waren van zilver en van goud. Nu konden de mensen hun varken ruilen voor geld. Voor dat geld kochten ze dan een zak meel. Dat scheelde een hoop gesjouw. Papieren geld kwam pas veel later. Dat is niet zo gek. Want het papier was nog niet uitgevonden!

24

Een bliefje van tien

Papier (50 voor Christus)

De Chinezen hadden het maar druk. Ze vonden het geld uit. Het kompas, de klok, en toen ook nog eens het papier. Het werd gemaakt van stof, hout en stro. Dat werd geperst tot het plat was.

China ligt ver van Europa af. Dat is een lange reis. Maar het papier deed er wel heel erg lang over. Het duurde twaalf eeuwen voor er in Europa ook papier werd gemaakt! En het had ook niet langer moeten duren. Stel je voor dat er nu nóg geen papier was. Dan bestonden er vast ook geen boeken. Geen kranten, geen posters en geen wc-papier!

Duur papier

Drukkunst (600)

Een munt werd geslagen door een smid. Met een hamer sloeg hij metaal plat. Maar hoe maakten de mensen dan papiergeld? Tekenden ze de briefjes zelf? Schreven ze er op hoeveel het waard was? Nee, het werd gedrukt. Net als de letters in dit boek.

De eerste boeken

De eerste boeken werden in China gedrukt. Dat was al in de zesde eeuw. Het ging alleen wel heel langzaam. Er stonden vaak veel tekeningen in een boek. En van die mooie grote letters. In rood en geel met gouden randen. Een boek was echt een kunstwerk. Net als een schilderij. Pas in de 15de eeuw vond Johan Gutenberg een echte drukpers uit. Die kon heel veel letters tegelijk drukken. Dat ging razend snel. Maar het was afgelopen met de mooie sierletters. Dat kostte te veel tijd… én geld. Jammer hoor.

Raar maar waar!

Voor het drukken was uitgevonden, werden alle boeken overgeschreven door monniken. Met een ganzenveer en een grote pot inkt. Kun je het je voorstellen? Sommige boeken waren echt heel dik. Monniken deden soms wel jaren over één boek!

Geeuw!

Een haan heeft geen klok nodig. Die wordt wakker als de zon opkomt, en begint te kraaien. De boeren weten dan dat het tijd is om op te staan. Heel vroeger was er geen klok. En ook geen haan. De mensen keken naar de zon. 's Ochtends kwam hij op in het oosten. 's Avonds ging hij onder in het westen. Aan de plek van de zon kon je ongeveer zien hoe laat het was. En dat kan nu nog! Komt de zon op: dan begint de dag. Staat de zon tussen oost en west in: dan is het midden op de dag. Gaat de zon onder: dan is de dag voorbij. Maar wat als de zon niet schijnt?

Hoge klok

In 1088 vond een Chinees de eerste klok uit. Met tandwielen en een waterrad. Deze klok was wel tien meter hoog! En reuze ingewikkeld. Erg precies was hij ook niet. Soms liep hij wel een paar uur achter. Of voor. Nu is dat wel anders.

DOE HET ZELF!

Wil jij proberen hoe het heel vroeger ging? Toen er nog geen klok bestond? Maak dan een zonnewijzer.

Dit heb je nodig:
een bloempot met een gat onderin   *een potlood*
een groot stuk karton   *een stok*
een horloge

En nu aan de slag
Zet de bloempot op zijn kop op de grond. Zet de stok er rechtop in. Teken een grote cirkel op het karton. Knip die uit. Maak in het midden van de kartonnen cirkel een gat. Laat de cirkel over de stok glijden. Tot hij op de bloempot ligt. Nu heb je een zonnewijzer. Zet je zonnewijzer in de zon. Je ziet de schaduw van de stok op de cirkel. Zet elk uur een streepje op de punt van de schaduw. Zet daar ook het tijdstip bij. Morgen kun je aan je zonnewijzer zien hoe laat het is. Als de zon schijnt tenminste...

Hoe kan dat?
De aarde draait. Daardoor zie je de zon steeds ergens anders aan de hemel. Elk uur 'staat' de zon op een andere plek. Dus de schaduw van de stok ook.

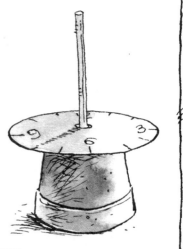

James? Wat? *Stoommachine (1769)*

Een stoomtrein, een stoomboot… Door de stoommachine gingen ze vooruit. Er was zelfs een stoom-
vliegtuig. De stoommachine veranderde de wereld. Hij
deed veel zwaar werk. En nog snel ook. Het trekpaard
kon op stal. Maar de arbeiders niet! Die moesten de
machine bedienen. In 1698 werd al een stoommachine
uitgevonden. Maar die werkte niet zo goed. Daarom
bouwde James Watt er in 1769 zelf één. En dat was de
beste. Hij kookte water in een grote ketel. Daar kwam
stoom vanaf. De stoom duwde de machine vooruit. De
stoommachine maakte veel lawaai. Hij pufte, hij piepte
en hij ratelde. Maar er kwam vooral veel rook vanaf.

Zit nou eens stil! *Foto (1826)*

Weet je waar ook veel rook vanaf kwam? Van een
fototoestel. Louis Daguerre vond het uit in 1826.
Hij stak buskruit in de brand. Dat gaf een lichtflits.
Daguerre had ook een geheimzinnige plaat. Wat in de
lichtflits stond, kwam daarop als plaatje te staan. Een
foto, dus. Louis maakte eerst een foto van zijn vrouw.
Daarna van een vaas met bloemen. En bijna van de kat
van de buren. Maar die bleef niet stilzitten. Had hij er
achteraan moeten gaan? Nou, dat ging niet zo maar. Het
toestel woog wel 50 kilo! Dat is even zwaar als een grote
houten tafel! Of twee televisies.

29

ECHT GEBEURD...   *Spijkerbroek (1873)*

'Goud! Goud! Ik heb goud gevonden bij de rivier!' De
oude cowboy zat onder het stof. Zijn baard was helemaal
grijs. Zijn jas was gescheurd. Maar hij had goud
gevonden!

Alle andere cowboys sprongen op hun paard. Sommigen
hadden geen paard. Die renden naar de rivier zo snel als
ze konden. De hele stad liep leeg. Wat achterbleef waren
lege huizen. Op straat lag alleen nog een gedeukte
cowboyhoed...

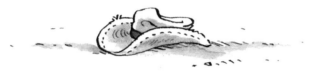

Goudkoorts

In de 19de eeuw heerste er goudkoorts in Amerika.
Duizenden cowboys trokken naar de rivier. Op zoek naar
goud. Want met goud kon je alles kopen. Bij de rivier
werd een nieuwe stad gebouwd. Met een kapper, een
café, een kerk. En de winkel van Levi.

Levi verkocht daar van alles. Lampen, hamers, hoeden én
pistolen. Want wie goud had, wilde dat beschermen.

IJzersterke broeken

Maar Levi verkocht ook broeken. Speciale broeken. Van hele stevige stof. Want de mannen zaten de hele dag op hun knieën bij de rivier. Dus hun broeken gingen steeds kapot.

Een vriend van Levi maakte de broeken. Hij maakte ze extra sterk. De zakken had hij er met spijkers opgezet. Hij noemde ze daarom: spijkerbroeken. Levi's spijkerbroeken. En die bestaan nog steeds!

Denken, denken... *Gloeilamp (1878)*

Uitvinders werken erg hard. Maar ze denken vooral veel
na. Wat zal ik eens maken? Hoe werkt het? Waarom
doet mijn uitvinding het nog niet?
Ook Thomas Edison werkte hard. Hij hield niet van
stilzitten. Op school verveelde hij zich. Dus liep hij op een
dag weg. En ging thuis aan de slag. Hij zwoegde dag en
nacht. Slapen deed hij bijna niet. En op een nacht ging er
een lampje branden. Een heel beroemd lampje.

De gloeilamp werd in 1878 uitgevonden door Edison.
Maar hij was niet de enige. Ene meneer Swan vond
hetzelfde uit. Ook in 1878! Maar ja, die was net iets later.
Jammer hoor!

Allemaal kleuren *Televisie (1936)*

Heb je de kleuren op de tv al eens geteld? Groen en geel
en paars en blauw. Rood, lila, oranje, bruin. En ga maar
door... Vroeger waren er maar twee kleuren op tv. Zwart
en wit, meer niet.
Mensen konden al voor 1936 films opnemen. Maar die
kwamen nooit op tv. Want die was er nog niet. De
televisie werd uitgevonden door iemand met een heel
moeilijke naam: Vladimir Zworykin. Dat klinkt Russisch.
Maar het was een Amerikaan.

Voor er televisie was

Wat deden de mensen dan voor er televisie was? Ze zaten 's avonds aan tafel en deden spelletjes. Of ze vertelden wat ze die dag hadden meegemaakt. Nu heeft bijna iedereen een televisie. Of zelfs twee! Stel je eens voor dat er geen tv was. Wat zou jij doen?

Slim, slimmer, slimst   *Computer (1945)*

Heeft je moeder al eens gezegd dat je van televisie kijken dom wordt? Nou, dan keek de uitvinder van de computer vast geen tv. Want de computer is een slim apparaat. En de uitvinder ervan was geniaal! Er waren in de 19de eeuw al machines die konden rekenen. En in de oudheid bestond er al een telraam. Dat is ook een soort computer.

Wauw!

De eerste echte computer werd in 1945 gebouwd. Het was een enorme machine. Zo groot als een huis. Deze computer kon niet alleen rekenen. Hij kon de getallen ook onthouden. Dat was nog nooit vertoond!

Nog meer beroemde uitvindingen

Wie had dat gedacht? Een wiel, een klok, televisie! En ook nog een computer. Maar dat is nog lang niet alles. Er is nog veel meer uitgevonden. Kijk maar:

30000 VC
PIJL & BOOG

6000 VC
BOOT

2600 VC
STOEL
BROOD

2500 VC
GLAS
SPIEGELS
SKI'S

1500 VC
SCHOENEN VLAG
TROMPET HANDSCHOEN

1000 VC
SCHAATSEN

900 VC
ALFABET

400 VC
SCHOOL
KATAPULT

1958 LEGO

1979 MOBIELE TELEFOON

1983 INTERNET

1903 VLIEGTUIG

1895 BIOSCOOP RADIO

1676 LIMONADE

1783 LUCHTBALLON PARACHUTE

1892 COLA

1300 RAKET

1088 KLOK

600 WINDMOLEN

280 VC VUURTOREN

JAAR0

100 SCHAAR

150 ZEEP

35

 Auto's, boten en vliegmachines

GLIJDEN OF RIJDEN

Sleeën

Jammer dat het niet zo vaak sneeuwt. Sleeën is zo leuk! Vroeger werd de slee veel vaker gebruikt. Ook in de zomer. In de modder en op het gras. Om dingen te verplaatsen. Zoals stenen en bomen. Of een groot hert dat bij de jacht was geschoten. Maar de slee was zwaar. Dus was het moeilijk om vooruit te komen.

Gelukkig werd het wiel uitgevonden. Dat rolde tenminste lekker mee. Het wiel is misschien wel de beste uitvinding ooit! Maar wie het heeft uitgevonden… Dat weet niemand. Dat is al zo lang geleden. Zonder het wiel waren er nu geen auto's en fietsen. Je zou altijd naar school moeten lopen. Of sleeën natuurlijk!

OF DIT NOU EEN VERBETERING IS,…

HOBBELDEHOBBEL…

Moe paard

Na het wiel, kwam de wagen. En voor de wagen kwam het paard. Daarmee reisden de mensen het land door. Van stad naar stad. Met hun handelswaar of familie achterin. Moe werden ze er niet van. Maar het paard wel! En dat terwijl er geen tijd was om uit te rusten. Tijd was geld!

Toet toet! *Stoomauto (1763)*

In 1763 bouwde een Fransman een stoomauto. Dat was een kar met drie wielen. Achterop stond een grote kookpot. Daar zat water in. Het water werd gekookt. Als het kookte, kwam er stoom vanaf. Door de stoom gingen de wielen draaien. De auto ging vooruit en het paard kon weer op stal.

Maar er was iets mis met die stoomauto. Er zaten nog geen remmen op... Boem!

En dan was er nog iets met de stoomauto. Hij was niet snel genoeg. Met paard en wagen ging je nog harder.

Koets zonder paarden *Benzineauto (1885)*

De eerste 'echte' auto werd in 1885 gebouwd. Hij zag eruit als een koets. Maar dan zonder paarden. Maar mét een 'echte' motor.

Wat een raar ding! Een koets zonder paarden! Mensen stonden langs de kant van de weg. Dat hadden ze nog nooit gezien. In 1885 was er maar één auto op de hele wereld. En iedereen wilde wel een stukje mee rijden.

Houd de dief!

De eerste auto werd door Karl Benz gebouwd. Maar op een nacht ging het mis. Zijn gloednieuwe 'Benz' werd gestolen. Karl was door het dolle heen! Wie had zijn uitvinding gestolen? En hoe wist de dief hoe zijn auto werkte? Nou, dat was niet zo moeilijk, hoor. Zijn vrouw was de dief. Ze was met haar zoons uit rijden gegaan!

Te duur

De Benz was heel duur. Bijna niemand had genoeg geld om er een te kopen. Nee, een fiets was goedkoper. Die was misschien niet zo sjiek. Maar je hoefde er tenminste geen benzine in te gooien.

Lopen of met de fiets? *Fiets (1885)*

Al voor 1885 bestond er een fiets. Maar dat was geen echte. Want je kon er niet op fietsen! Het was een loopfiets. Met houten wielen. Je ging erop zitten. Met je benen moest je je afzetten tegen de grond. Dan kon je toch net zo goed gaan lopen!

In 1885 bouwde John Starley een nieuwe fiets. Dat was wel een echte. Er zaten trappers op, een stuur en een ketting. Daar kon je tenminste op fietsen! John noemde zijn fiets de Rover. En die veroverde de hele wereld.

BOOTJE VAREN

Schip ahoy!   *Boot (6000 voor Christus)*
Het wiel, de auto, de fiets. Dat zijn nog eens goede
uitvindingen. Maar wat als je water tegenkomt? En er is
nergens een brug te bekennen? Over water kun je niet
rijden. Ook daar is een oplossing voor. Gooi maar eens
een stok in het water. Je zult zien dat die blijft drijven.
Maar als een stok blijft drijven… dan doet een grote,
dikke boomstam dat ook!
Zo'n 6000 jaar geleden kreeg iemand een goed idee. Hij
holde een boomstam uit. Hij ging erin zitten. En voer
ermee de rivier over. Dat was de eerste boot.

Eskimo's en Arabieren
Arabieren hadden geen bomen nodig. Die bouwden hun
boten van riet. En de eskimo's? Die maakten een kajak.
Ze gebruikten daarvoor de huid van een arme zeehond!
In hun kajak joegen ze op walvissen. Maar die zwemmen
best snel! Dus moesten de eskimo's flink roeien.

Lekker luieren   *Zeilboot (3500 voor Christus)*

De vikingen waren stoere zeemannen. Zij leefden in de Middeleeuwen. Ze kwamen uit het hoge noorden. Met snelle houten schepen reisden ze de hele wereld over. Drakkars noemden ze die. Ze voeren zelfs helemaal naar Amerika.

De vikingen waren dan wel erg sterk. En hadden spierballen als stalen kabels. Maar Amerika was heel ver weg. Te ver om het hele eind te roeien. Daarom hesen ze soms de zeilen. En leunden tevreden achterover…

Blazen, mannen!

Dat zeil hadden ze te danken aan de Egyptenaren. Die vonden het al 5500 jaar geleden uit.

Goh, handig zo'n zeil! Maar dan moest het natuurlijk wel waaien. Anders lag een boot soms dagenlang stil. Wat zouden de vikingen dan doen? Vissen? Een stukje zwemmen? Een spelletje kaarten misschien? Of bliezen ze gewoon heel hard tegen het zeil?

Nee hoor. Ze roeiden dan gewoon weer een stukje. Maar dat ging lang niet zo snel als zeilen. Zo schoot de reis natuurlijk niet op.

Kaboem! *Stoomschip (1787)*

John Fitch vond er wat op. Hij zette een stoommachine
aan boord van een schip. Aan die machine zette hij
twaalf roeispanen. En die duwden het schip vooruit. Lang
heeft het eerste stoomschip niet gevaren. De machine
trilde enorm. Het houten schip sprong zomaar uit elkaar!

Het zinkende stoomschip

John Wilkinson had de oplossing. Hij bouwde een schip
van ijzer. Dat was wel sterk genoeg.
Het sterkste stoomschip was de Titanic. En ook het
grootste. Volgens de bouwers was hij zelfs onzinkbaar! In
1912 maakte de Titanic zijn eerste reis. Het was ook zijn
laatste. Het schip botste tegen een ijsberg op. En zonk
naar de zeebodem.

WAT EEN SLECHTE SERVICE!

Waar gaat dat heen?   *Kompas (500 voor Christus)*

'Tovenarij!' riep de kapitein toen hij het kompas zag. 'Dat wil ik niet aan boord van mijn schip!'

De Chinese koopman lachte. Hij stopte het ding weer in de doos. 'Dan moet je het zelf maar weten. Zonder mijn uitvinding zul je verdwalen, daar op zee,' zei hij.

De kapitein kookte van woede. Hij joeg de Chinees van zijn schip. 'Scheer je weg! Ga van mijn schip af!'

Dom

Dat was niet zo slim van de kapitein. Want op een kompas kun je zien waar je heen moet. De wijzer van een kompas wijst altijd naar het noorden. Op de wijzerplaat zie je dan waar het zuiden ligt. En het oosten en het westen.

De kapitein wilde er niets van weten. Hij wist best welke kant hij op moest. Dat zag hij aan de zon. Hij liet de zeilen hijsen en verliet de haven. Maar op zee begon het hevig te stormen! De boot draaide en draaide in het rond. Donkere wolken dreven voor de zon. De kapitein zag de zon niet meer. Waar moest hij nu heen? Hij verdwaalde op de woeste zee.

We zijn er!

Ineens zag de kapitein een licht. Was dat de zon? 'Recht vooruit!' riep hij tegen zijn matrozen.

Het schip vloog over de golven. De kapitein stond te lachen op het dek. 'Een kompas, poeh! Dat heb ik toch niet nodig.'

Maar het licht kwam niet van de zon. Het was een vuur. En wie stond daar op de kade te lachen?

Het was de Chinese koopman. Het schip van de eigenwijze kapitein was terug in de haven!

Had de kapitein maar geluisterd naar die rare Chinees. Dan was hij nooit verdwaald.

DOE HET ZELF!

Je kunt zelf een kompas maken. Dan kun je zien waar het noorden ligt. En het zuiden, het westen en het oosten.

Dit heb je nodig:
een naald
een diep bord of een bakje water
een stukje papier (ongeveer even lang als de naald)
een magneet

En nu aan de slag
Zet het bord of bakje water op tafel. Leg er een stukje papier in. Doe dat zo dat het blijft drijven. Wrijf met de punt van de naald over de magneet. Doe dit in één richting! En één minuut lang. Leg de naald nu op het papiertje.

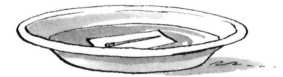

Je ziet dat de naald langzaam beweegt. Het kan even duren. Maar zodra hij stilstaat, wijst de punt naar het noorden.

Hoe kan dat?
Door het wrijven is de naald magnetisch geworden. En de aarde is ook net een grote magneet. Die twee trekken elkaar aan. Daarom wijst de naald naar het noorden.

Eeuwig vuur   *Vuurtoren (280 voor Christus)*

Sinds het jaar 1000 zijn er schepen die een kompas aan boord hebben. Daarvoor voeren ze met de wind mee. Over de woeste golven. Naar een ver, vreemd land. De zon was de beste vriend van de kapitein. Daaraan zag hij welke kant hij op moest.

Behalve 's avonds. Dan brandde er soms een ander licht aan de horizon. Het licht van een vuurtoren. Zo kon de kapitein zien dat er land in de buurt was. En zo wist hij hoe hij moest varen.

De eerste vuurtoren was van hout. Hij werd in 280 voor Christus gebouwd. Dat was in Egypte. Die vuurtoren was net zo hoog als een piramide. Bovenop brandde een vuur. Het eeuwige vuur.

DE LUCHT IN!

Was ik maar een vogel...
Een jongen zat op school te dromen. Hij keek uit het
raam. Er vloog een vliegtuig voorbij. Met twee grote
vleugels. En vier motoren opzij. Waar zou hij naartoe
vliegen? Ergens waar geen scholen zijn?
De meester begon te vertellen: 'Vliegtuigen bestaan nog
niet zo lang. Hooguit honderd jaar. De mensen zagen de
vogels en de vlinders. Ze zeiden: "Hé, dat willen wij
ook!"'
Iedereen wilde wel vliegen. Want wie dat kon, werd
wereldberoemd! Er waren mensen die zelf vleugels
bouwden. En van het dak sprongen. Au! Dat werkte dus
niet.

Vliegend schaap   *Heteluchtballon (1783)*
In Frankrijk woonden de broers Montgolfier. In 1783
bouwden ze een heteluchtballon. Ze bliezen hete lucht in
een grote papieren bol. Daardoor steeg die op.
In het mandje stopten ze drie dieren. Een haan, een eend
en een schaap. De haan en de eend konden zelf wel
vliegen. Maar een vliegend schaap... Dat was nog nooit
vertoond! En dat boven Parijs! Ze vlogen 3 kilometer.
Toen was de hete lucht afgekoeld. En de ballon zakte
weer naar beneden.

Hoogtevrees

Even later vloog de ballon opnieuw boven de stad. Dit keer niet met een schaap erin. Maar met twee dappere mannen aan boord. Nee, niet de twee broers. Die hebben zelf nooit in hun ballon gevlogen. Misschien hadden ze wel hoogtevrees...

Vleugels   *Vliegtuig (1903)*

Eigenlijk was het geen vliegen, in een luchtballon. Je zweefde alleen maar door de lucht. Nee, de mensen wilden écht vliegen! Net als vogels.
In de 15de eeuw tekende Leonardo da Vinci al een flapmachine. Een houten vogel. Met twee grote vleugels die op en neer klapten. Maar hij bouwde hem niet. Hij verzon hem alleen maar.
Pas veel later vlogen de mensen als vogels. Met vleugels en een staart. De eersten waren twee broers uit Amerika. Zij bouwden een vliegtuig van hout. Met een motor. In 1903 vlogen ze 260 meter door de lucht. Over deze bijzondere dag lees je verderop in dit boek.

EEN PARACHUTE ZOU OOK WEL HANDIG ZIJN...

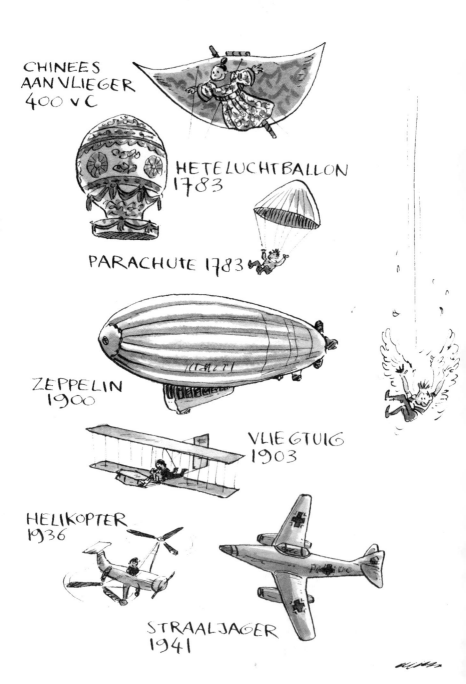

CHINEES
AANVLIEGER
400 vC

HETELUCHTBALLON
1783

PARACHUTE 1783

ZEPPELIN
1900

VLIEGTUIG
1903

HELIKOPTER
1936

STRAALJAGER
1941

Effe bellen...

Geen tv　　　　　　　　*Schrijven (3100 voor Christus)*

Vroeger bestond er geen tv. Er waren geen boeken. En er was geen radio. Toch vonden mensen het leuk om te horen wat anderen hadden meegemaakt. Daarom vertelden ze elkaar verhalen. Soms hele avonden lang. Bij het haardvuur of aan tafel. Bij een kaars. Al die verhalen werden doorverteld. Van vader op zoon. En van moeder op dochter.

Er werd natuurlijk veel bij verzonnen. En soms ook wat vergeten. Zo veranderde het verhaal telkens. Soms werd het verhaal spannender gemaakt. Met draken en boze geesten. En vond je het niet leuk dat het slecht afliep? Dan verzon je gewoon een goed einde.

Krabbelende koopmannen

Dat ging zo totdat het schrijven werd uitgevonden. Dat was vijfduizend jaar geleden. Koopmannen krabbelden met riet tekeningen in klei. Elke tekening stelde een woord voor. Ze schreven nog geen verhalen op. Maar wel wetten, en afspraken die ze maakten.

PFF...EEN LANG VERHAAL OP EEN KLEI-TABLET! HET WORDT TYD, DAT IEMAND HET BOEK UITVINDT...

Abc   *Griekse alfabet (900 voor Christus)*

Rond 900 voor Christus werd het alfabet uitgevonden waar onze letters van afstammen. Daarmee zijn wel veel verhalen geschreven. En jaren later weer gelezen. Dan waren ze nog precies hetzelfde. Jammer eigenlijk...

Piep! Piep! Piep!   *Morse (1837)*

Stel je eens voor. Je vaart op een grote stoomboot. Ver weg van huis. Zou dat niet eenzaam zijn? Alleen op zee. Straks gebeurt er wat. Stel dat de boot zinkt. Wat doe je op een schip in nood? Heel hard roepen helpt niet. Dat hoort toch niemand. Rooksignalen geven? Zoals de indianen? Nee, dan vliegt de boot in de brand.

Horen jullie mij?

In 1832 vertrok Sam Morse met een schip uit Engeland. Hij was op weg naar Amerika, waar hij woonde.
Zou er thuis iemand op hem wachten? Nee, niemand wist van zijn komst. Hij kon het niemand vertellen. Zou hij heel hard kunnen roepen? Ach, niemand zou hem horen. Een brief sturen? Dat duurde veel te lang. O, kon hij maar ver weg praten.

Dit raad je nooit!

Had Sam nou maar telefoon gehad. Dan had hij even naar huis kunnen bellen. Weet jij wie de telefoon heeft uitgevonden?

a. T. Ring
b. Graham Bell
c. Pietje Bell
d. de Grieken
e. Archimedes

Een droom

Die nacht droomde Sam van een machine. Daarmee kon hij een boodschap versturen. Een boodschap van lange en korte piepjes. Door een elektrische draad. En die piepjes zouden dan een letter maken. Toen hij in Amerika was, verzon hij een eigen taal voor zijn droommachine. Die taal noemde hij 'morse'.

Kort lang

Bij morse geef je iemand signalen van korte en lange piepjes. Elke letter van het alfabet is weer anders. De 'a' is een korte en een lange piep. De 'h' vier korte piepjes. De 'o' drie lange piepjes. En de 'y': lang piepje, kort piepje, lang piepje, lang piepje. Ahoy! Die piepjes kun je versturen. Dat heet 'seinen'. Je kunt ook seinen met een fluit. Of met het licht van een zaklamp. Probeer het maar eens. Op de volgende bladzij zie je hoe het moet.

Oplossing:
b

Morseschrift

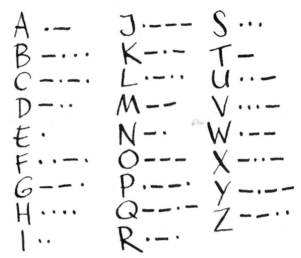

Een korte piep is een punt, een lange piep een streep.
Je kunt ook met licht seinen. Een punt is dan een
korte flits en een streep een lange.
Probeer je eigen naam maar eens in morse te seinen.

Telegraaf
Seinen gebeurde vroeger met een telegraaf. Dat was een
apparaat met een drukknop erop. Als je lang drukte,
kreeg je een lange piep. Als je kort drukte, een korte. De
piepjes gingen door een draad. En aan de andere zat een
man te luisteren. Die schreef de hele boodschap op.

Piep niet zo!   *Telefoon (1876)*
Graham Bell vond al dat gepiep niet handig. Hij wilde
kunnen praten door een draad. Daarom dacht hij eens
diep na. En hij ging aan het werk.

Hoor je mij?

Amerika, 1876. Mevrouw Bell keek ineens vreemd op. Ze hoorde haar man praten! Maar hij stond toch buiten in de tuin? Het geluid kwam uit een vreemde toeter. Met een draad eraan. Het was de eerste telefoon.

Graham Bell moest erg hard lachen. En er schoot hem nog iets te binnen. 'Ik lust wel een kopje koffie. Buiten, in de tuin graag,' vroeg hij door de telefoon.

DOE HET ZELF!

Wat Graham Bell kon, kun jij ook.
Maak je eigen telefoon.

Dit heb je nodig
iemand om mee te bellen   twee lege blikjes
een lange draad   een priem

En nu aan de slag
Prik een gaatje in de bodem van elk blikje. Stop de
draad door de twee gaatjes. Leg aan beide uiteinden
een knoop. Het moet wel stevig vastzitten.
Pak nu allebei een blikje. Loop van elkaar weg. Totdat
het touw strak staat. De één kan nu in zijn blikje
praten. De ander houdt het blikje tegen zijn oor. Het is
net of er iemand naast je staat te praten!

Hoe kan dat?
Het touw gaat trillen als iemand in het blikje praat.
Dat trillen maakt geluid in het andere blikje.

Gelukt!

Het werkte! Graham Bell had de telefoon uitgevonden!
Maar hij was niet de enige. Ene meneer Gray vond hem
ook uit. Op dezelfde dag nog wel. Toch werd Bell de
uitvinder van de telefoon. Want hij kreeg het patent.
Patent? Wat is dat?

Patent

Wie iets uitvindt, moet dat snel bekend maken. Dan weet
iedereen dat hij de uitvinder is. Hij heeft er dan patent
op. En alleen hij mag het dan verkopen.
Daardoor werden veel uitvinders rijk. Maar velen bleven
ook arm. Zoals de arme meneer Gray. Hij kwam maar
twee uur later dan Bell!
Bellen... Waar zou dat woord toch vandaan komen?

Tegelijk

Het is vaker gebeurd dat twee mensen hetzelfde
uitvonden. En ook nog eens tegelijk!
Zoals de gloeilamp, weet je nog wel? Thomas Edison
werd er beroemd mee. Maar wie heeft ooit van Joseph
Swan gehoord? Het gebeurde ook al met het potlood en
de schaar.

Gekker en gekker   *Radio (1894)*

Het werd al gekker. Mensen konden nu al praten door
een draadje! Wie had dat verwacht? Er was alleen één
probleem. Op zee liepen geen draden. Een schip in nood
had niets aan de telegraaf. Of de telefoon.
De Italiaan Marconi vond daar wat op. Hij bouwde in
1894 een radio. Daarmee kon hij geluid door de lucht
zenden. Dus ook vanaf een schip.
Praten door die radio kon toen nog niet. Maar dat
duurde niet lang meer. Vanaf 1906 klonken er stemmen
op de radio.

Nu heeft iedereen een telefoon. En een radio is heel
gewoon. Niemand kan nog zonder. Maar in die tijd was
het een wonder!

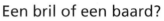

Hoe herken je een uitvinder?

Een bril of een baard?
Waar denk jij aan bij een uitvinder? Aan een oude man?
Met een lange witte baard? Of een klein mannetje met
een hele grote bril? Zulke uitvinders heb je vast wel. Maar
het kan natuurlijk ook een vrouw zijn. Een groep mensen
kan iets uitvinden. Of een heel volk. Zoals de Grieken. Of
de Egyptenaren. En kijk eens in de spiegel. Misschien zie
je daar wel een uitvinder…

Zelf uitvinden
Iedereen kan uitvinder worden. Jij dus ook. Je hoeft
alleen maar iets te verzinnen. Iets dat nog niet bestaat.
Het moet natuurlijk wel werken. O ja, het is ook erg
handig als je er iets aan hebt.
Je kunt een pan met duizend gaatjes maken. Maar dat
bestaat al. Dat is een vergiet!
Een vliegtuig! Dat is heel handig. Of een onderzeeër, een
paraplu. Of nee, een bril!
Jammer! Te laat. Die bestaan allemaal al.

57

De werkplaats

De werkplaats van een uitvinder heet laboratorium. In het kort ook wel lab genoemd. In dat lab wordt veel geknutseld. Er hangen allerlei tekeningen. En overal ligt gereedschap. Hieronder zie je zo'n lab.

Hoe doe je dat... uitvinden?

Een echte uitvinder is de hele dag bezig. Maar niet alleen
met knutselen. Ook met nadenken. Heel diep
nadenken....
Wat kan hij nog uitvinden? Alles is toch al uitgevonden?
Maar dan ineens... krijgt hij een idee. De uitvinder
springt van zijn stoel. En gaat aan de slag.
Misschien denk je: uitvinden, wat is daar nou moeilijk
aan? Probeer het zelf maar eens.

DOE HET ZELF!

Dit heb je nodig:
een potlood
een blocnote
een stoel
een tafel

En nu aan de slag
Ga op de stoel zitten.
Doe je armen over elkaar.
En je hoofd achterover.
Denk nu diep na.

IJsberen

Heb je al iets verzonnen? Nee? Loop dan eens wat rondjes door de kamer. IJsberen, heet dat. Misschien krijg je dan een goed idee.

Tja, waar haal je het vandaan? Wat kun je uitvinden? Hier zijn wat tips.

Verzin het maar

Je kunt een machine uitvinden. Een machine die koek maakt. Of een machine die je bed opmaakt.
Je kunt een nieuw spelletje bedenken. Monopoly is ook door iemand uitgevonden. Net als Mens-erger-je-niet.
Wie weet kun jij ook een spel verzinnen.
Bedenk een nieuw kledingstuk. Een soort pet, een nieuw soort broek. Of een neuswarmer.

IK WEET NOG NIET WAT HET IS... MAAR HIER GA IK DE WERELD MEE VEROVEREN!

Dropsoep

Je kunt ook een nieuwe taal bedenken. Een taal die nog niemand spreekt. Die kun je al je vrienden leren.
Heb je trek in iets lekkers? Waarom vind je dan niet iets te eten uit? Zoals dropjes-soep of slagroombrood.
Heb je al een idee? Schrijf het dan op. Of maak er een tekening van!

Allemaal mannen

Vroeger waren bijna alle uitvinders mannen. Weet je hoe dat komt? Als een vrouw iets bedacht, zei haar man: 'Vrouwen horen niks uit te vinden. Dat is iets voor mannen. Laat dat maar aan mij over!'
Hij ging naar zijn vrienden en riep: 'Kijk eens wat ik heb uitgevonden!' Zo stal hij de uitvinding van zijn vrouw. Dat ging vroeger nu eenmaal vaak zo.

DE SIMPELSTE UITVINDING

Ze zeggen dat uitvinders veel nadenken. Is een uitvinding dan altijd ingewikkeld?
Nee hoor, een paperclip is dat niet. Dat is gewoon een stukje ijzerdraad. Hoe zou de uitvinder op het idee zijn gekomen? Misschien verveelde hij zich. En speelde hij wat met een ijzerdraadje. Hij verboog het. Tot hij een paperclip had. Was het per ongeluk? Of was het gewoon een goed idee?

Beroemde uitvinders

Slimmeriken

Je hebt al veel kunnen lezen over uitvinders. Oude
Grieken, lachende Chinezen. En slimme Amerikanen. In
dit hoofdstuk lees je meer over een paar grote uitvinders!

ARCHIMEDES
(287 - 212 voor Christus)

Lang geleden stapte Archimedes
in bad. Het water liep over de
rand. Hij dacht diep na… De
koning had hem een moeilijke
opdracht gegeven. Hij moest
uitvinden of de kroon van de
koning wel echt van goud was
gemaakt. Of stiekem voor een deel van zilver. Dat was
minder duur. Maar de kroon moest wel heel blijven.
Ineens riep Archimedes: 'Eureka!' Dat betekent: Ik heb
het gevonden!
Archimedes sprong uit bad. In zijn blote kont rende hij de
straat op. Op weg naar de koning.
Archimedes was heel slim. Wat had hij bedacht? Zilver is
lichter dan goud. Dus een kroon van zilver is groter dan
een even zware kroon van goud. Als je de zilveren kroon
in een bak water legt, loopt er dus meer water uit de bak
dan bij de gouden kroon. Ja, Archimedes had goede
ideeën. Maar de mensen lachten hem uit. Had hij soms
eerst zijn broek aan moeten trekken?

De Griekse koning

Iets anders dat Archimedes uitvond, was de school…
Bah! Hoe kon hij dat nou doen?! Hij is ook de uitvinder
van de hijskraan. En allerlei vreemd oorlogstuig.
Archimedes woonde aan het hof van de Griekse koning
Hieron. Die gaf hij vaak goede raad. Daarom ging hij ook
vaak in bad. Daar kon hij goed nadenken!

De Romeinen

Op een dag vielen de Romeinen de stad van de Griekse
koning aan. Archimedes bouwde grote katapulten. En
snelle schepen. Hij gaf de soldaten blinkende schilden.
Die moesten de Romeinen verblinden, als de zon erop
scheen.
Maar de Romeinen waren te sterk. In 212 voor Christus
werd de stad veroverd. De Romeinen staken alles in
brand. De arme, oude Archimedes werd vermoord.

De eerste robot

Jaren later waren er nog meer slimme mensen. Zij riepen vast ook 'eureka!', of 'hoera!' Toen ze de fiets uitvonden. Het kompas, de raket en de robot.

Wist je dat de robot al 2000 jaar oud is? Het was een duif van hout. De duif hing aan een stok. En vloog rondjes door de lucht.

Vliegen… Zucht… Dat wilde Leonardo ook wel.

LEONARDO DA VINCI
(1452-1519)

Leonardo had altijd te weinig tijd. 's Ochtends schilderde hij. 's Middags maakte hij muziek. En 's avonds bouwde hij huizen. Maar was hij nou een kunstenaar of een knutselaar? Allebei misschien.

Als hij de kans kreeg, tuurde hij naar de blauwe hemel. Hij dacht: Ach, wat zou ik graag een vogel zijn. De volgende dag tekende hij een fiets. Hij bouwde bruggen. En hij verzon een manier om te vliegen.

Steeds was Leonardo bang. Doodsbang. Waarvoor? Voor mensen die zijn ideeën wilden stelen. Daarom schreef hij ze achterstevoren op. Zo kon niemand anders het lezen! Veel van zijn uitvindingen heeft hij nooit zelf gezien. Ze zijn pas eeuwen later gebouwd. Door andere mensen.

ALS IK HET NU EENS HELIKOPTER NOEM… NEE, DA'S NIKS…

Knutselen

Leonardo dacht veel na. Net als Archimedes. Hij tekende veel. En hij liet veel dingen bouwen. Maar niet alle uitvinders deden dat. Er waren ook uitvinders die alleen maar knutselden. James Watt was er zo een.

James Watt
(1736-1819)

James Watt was altijd al gek op knutselen. Ook als kleine jongen. Daarom gaf zijn vader hem een eigen kamer. Daar kon hij zoveel bouwen als hij maar wilde. Vooral machines vond James geweldig. In 1769 bouwde hij er zelf een. Zijn machine werkte op stoom. Door de stoommachine werd de hele wereld anders. Hij kon veel werk verzetten. Vooral het zware werk. Er werden fabrieken gebouwd. En in die fabrieken stonden de stoommachines te werken.

De stoommachine op wielen

De stoommachine was enorm handig. Hij kon alles laten bewegen. Zelfs treinen en auto's, en noem maar op. Met zijn machine kon James Watt overal naartoe. Naar Spanje met de stoomboot. Met de stoomlocomotief naar Schotland. En als hij een kijkje in de stad wilde nemen… dan stapte hij in de stoomauto!

Benzine
Stoomboot, stoomlocomotief, stoomauto. Ze werkten allemaal op stoom. Een heel goede uitvinding, die stoommachine. Maar: kon het niet nog beter? Dat vroegen Karl Benz en Henry Ford zich ook af. En ze verzonnen auto's die op benzine reden.

KARL BENZ
(1844-1929)
EN HENRY FORD
(1863-1947)

Karl Benz bouwde zijn eerste auto in 1885, in Duitsland. De Benz-auto. Het was een driewieler. Hij zag eruit als een koets. Maar dan dus met een motor. Dat was een raar gezicht! Een koets zonder paarden ervoor... En wat maakte hij een lawaai. De mensen vonden het maar raar. En de paarden van gewone koetsen sloegen op hol. Zes jaar later bouwde Benz ook een auto met vier wielen.

Lopende band
In 1896 bouwde Henry Ford zijn eerste auto. Het was een groot succes. Daarom maakte hij er nog veel meer. Hij deed dit op een heel bijzondere manier.
Henry bouwde een lopende band. Die liep door de hele fabriek. Een sterke man zette er een stuk staal in de vorm van een auto op. Dat rolde over de band. Naar een andere man. Die stopte er een motor in. De auto rolde weer verder. De volgende man zette er een stuur in. En de volgende de wielen. Totdat de auto helemaal klaar was. Dan kon hij zelf van de band rijden.

Nieuwe auto's

Henry en Karl werkten erg hard. Ze bouwden steeds
weer nieuwe dingen. Grote fabrieken en snelle auto's.
Er worden nog steeds auto's gemaakt van hun merk. Dat
zijn de Mercedes Benz en de Ford.

ECHT GEBEURD...

Toen Louis Braille drie jaar oud was, kreeg hij een
ongeluk. Daardoor werd hij blind. Hij zag de zon niet
meer. Hij zag het gras niet meer. Hij kon zijn vader en
moeder niet meer zien. Maar hij kon nog iets anders
niet.... Lezen!
Louis wilde heel graag leren lezen. Dus verzon hij er iets
op. Hij maakte kleine deukjes in papier. Deukjes boven
elkaar. Deukjes naast elkaar. En steeds maakte hij een
letter of een woord. Met zijn vingers kon hij de deukjes
voelen. En hij wist nog wat ze betekenden. Zo kon Louis
ook lezen!
Zijn uitvinding was klaar in 1829. Hij noemde het braille.
Er werden hele boeken mee gemaakt. Nog steeds lezen
blinde mensen braille.

FERDINAND VON ZEPPELIN
(1838-1917)

Met de uitvinding van Ferdinand von Zeppelin gebeurden niet zulke leuke dingen. Hij werd in de Eerste Wereldoorlog gebruikt om bommen op Londen en Parijs te gooien. Het was de zeppelin. Een groot luchtschip. De zeppelin zag eruit als een sigaar. Maar dan veel groter. En hij vloog! De zeppelin was gevuld met waterstof. Waterstof is lichter dan lucht. Daarom stijgt het op. En de zeppelin daardoor ook. Zo zweefde hij door de lucht. Net als een luchtballon eigenlijk.

Na de oorlog
Na de oorlog gingen er geen bommen meer met de zeppelin mee. Wel mensen. Die gingen ermee op reis. Het was een vliegend paleis. Met slaapkamers en een eetkamer. Een danszaal en een café.
Maar nogal vaak stortte er een zeppelin neer. Of er vloog er één in brand. Waterstof brandt namelijk heel snel. Niemand durfde nog met een zeppelin de lucht in. De droom van Ferdinand was voorbij.

WILHELM RÖNTGEN
(1845-1923)

In 1895 ontdekte Wilhelm een
geheimzinnige straal. Hij
noemde het de X-straal.
Daarmee kon hij door dingen
heen kijken. Wilhelm keek door
een rat en zag zijn geraamte.
Hij richtte de straal op een man. Hij keek zo door zijn vel
heen. Hij zag zijn botten. En hij wist dat de man geld op
zak had. Want hij zag de munten zitten!

De X-straal. Dat klinkt erg geheim. En dat was het ook
bijna gebleven. Röntgen durfde niet over zijn uitvinding
te vertellen. Hij was bang dat niemand hem zou geloven.
En dat de mensen hem uit zouden lachen. Op een dag
vertelde hij het toch. De wereld was verrast. De mensen
waren trots op Wilhelm. Ze noemden zijn straal naar
hem. De röntgenstraal.

Gebroken botten
Wat goed van Wilhelm. Dat hij zijn straal niet geheim
hield. Want hij is heel belangrijk. De röntgenstraal wordt
in het ziekenhuis gebruikt. Dokters kijken ermee in
mensen. Zo kunnen ze zien of iemand ziek is. Of een arm
of been gebroken heeft.

Dat was voor Orville Wright wel handig. Die ging
namelijk iets heel gevaarlijks doen...
Iedereen zei: 'Het is niet waar!' Maar de krant wist het
zeker. De mens kon vliegen!

69

THE TIMES

Kitty Hawk (USA)

- 17 december 1903

Het is koud op het strand. Het stormt. Daar, in de verte, staan twee mannen. Ze praten met elkaar. We lopen naar hen toe. Als we dichterbij komen, horen we wat ze zeggen.

'Kop!' roept een van de twee, vastberaden. Het is Orville.

Zijn broer, Wilbur, gooit een muntje op.

Plof. Het is kop! Orville heeft gewonnen. Hij mag nu plaats nemen 'op' het vliegtuig.

Het is een gevaarte van smalle houten balken. Met twee grote vleugels van stof. En overal draden.

Orville is zenuwachtig. Maar hij wil vliegen. Zeker weten. Vandaag nog!

De motor wordt gestart. De propellers draaien. De machine trilt ervan.

'Los!' roept Orville.

Wilbur laat het vliegtuig los. De machine springt naar voren. Nu rijdt hij weg. Harder en harder. Opeens schiet hij de lucht in. Hij vliegt! Het is gelukt!

Het vliegtuig danst op de wind. Het is net een hele grote vogel. Wilbur zwaait naar zijn broer in de lucht. En na 40 meter landt Orville weer veilig op het strand.

70

Gelukt!
Orville landde veilig in het zand. Hij had geluk. Hij had
wel neer kunnen storten. Hij had iets kunnen breken. Hij
had wel dood kunnen zijn! Als er iets misgaat, kun je
beter niet in een vliegtuig zitten. Spring er snel uit voor je
op de grond klapt. Doe dan wel eerst je parachute om!

Van onderen!
De parachute was niet voor piloten bedacht. Hij werd al
in 1485 verzonnen. Door Leonardo da Vinci. Die dacht
dat je ermee kon vliegen. Of dat ook echt kon? Hij wist
het niet. Hij probeerde nooit iets uit.
In 1783 maakte Louis Lenormand er een. Toen waren er
nog niet eens vliegtuigen. Hij maakte een parachute om
uit het raam te springen als er brand was. Om hem te
proberen, sprong hij van een hoog gebouw in Frankrijk.
Hij landde veilig op de grond.
Louis wist natuurlijk niet dat zijn uitvinding later het leven
van veel piloten zou redden. Maar hij heeft zelf nog wel
meegemaakt dat er een leven werd gered. Het leven van
een Franse ballonvaarder. Toen zijn ballon barstte, sprong
die als eerste mens vanuit de lucht naar beneden.

Sport
Nu is parachute springen een sport. Mensen springen
voor de lol uit een vliegtuig. Vliegen is ook heel normaal.
Er vliegen duizenden vliegtuigen door de lucht. En er
rijden miljoenen auto's door het land. Daarom zijn deze
uitvinders zo beroemd!

Ten aanval!

Dat was niet de bedoeling!

Weet je wat pas knalt? Buskruit! De Chinezen vonden het uit. Ze stopten het in vuurwerk. Leuk, voor als ze een feestje hadden.

Maar wat gebeurde er daarna? Ze stopten het in kanonnen! En in geweren. Om er oorlog mee te voeren. Zo ging het wel vaker. Een goede uitvinding werd later voor iets slechts gebruikt. De speer was ook niet bedacht om mee te vechten. En de pijl en boog? Was die niet voor de jacht? Dat klopt! Maar op een dag bedacht iemand: als je er een dier mee kunt doden... waarom dan niet een mens? Zo had de uitvinder het vast nooit bedoeld!

Oorlog

Andere dingen zijn wel verzonnen om te gebruiken in de oorlog. Zoals het zwaard, het kanon en de zeppelin. De zeppelin gooide bommen. Archimedes gaf de soldaten blinkende schilden om de vijand te verblinden. Hij bouwde grote katapulten. Allemaal om de oorlog mee te winnen.

Zoef! *Katapult (400 voor Christus)*

Waar denk je aan bij een katapult? Aan een stuk hout met een elastiek eraan?

Het zal je nog verbazen. De eerste katapulten waren groter dan jij! Ze werden gebruikt in het leger. De soldaten schoten grote keien naar de vijand. Of scherpe ijzeren speren. Goed richten konden ze niet. Maar stel je eens voor... Een grote steen komt zo uit de lucht vallen. Dan sla je wel op de vlucht!

De soldaten schoten vooral op boten. En raakte de steen de boot... dan zonk die naar de bodem van de zee.

Au, dat prikt!

Oorlog is al heel oud. Vroeger waren er veel volken. Nu ook, maar ze heetten toen anders. Zoals de Germanen en de Romeinen. De Friezen en de Franken. Die volken gingen vaak met elkaar op de vuist.

Dat deden ze niet met bommen en raketten. Maar met zwaarden en met speren. Met pijl en boog, en zware ijzeren knotsen.

Dat was gevaarlijk. Je raakte snel gewond. Een zwaard was vlijmscherp. Levensgevaarlijk! Daar verzonnen de Chinezen iets slims op.

Pas op, neushoorn!   *Harnas (1100 voor Christus)*

Chinese heren droegen in 1100 voor Christus al een soort harnas. Het was gemaakt van de huid van een neushoorn. Die was lekker dik. Je prikte er niet zomaar doorheen met een zwaard of een lans.

Griekse soldaten droegen stalen helmen. Om hun hoofd te beschermen. Maar sommige soldaten maakten het wel heel bont…

Opgepast!

In 1300 reed een ridder het slagveld op. Hij droeg een zilverkleurig harnas. Het schitterde in de zon. Er waren maar twee dingen niet bedekt: zijn ogen. Daaruit kwam een stoere blik. Zelfs zijn paard droeg een harnas. De ridder had een groot zwaard. En hij was ijzersterk! Dat moest ook wel. Want zo'n harnas was enorm zwaar.

Help, ik val!

Een ridder moest altijd goed opletten. Zelfs als hij een harnas droeg. Want als hij van zijn paard viel, was hij de klos. Zo'n harnas was erg zwaar. Zo zwaar dat hij zijn paard niet meer op kon komen. Anderen moesten hem dan optillen. Ze hadden beter de uitvinding van de Chinezen kunnen gebruiken. Buskruit. Daarmee konden ze de ridder zo de lucht in schieten!

Geesten   *Buskruit (900)*

Het buskruit werd uitgevonden in China. Daar maakten ze er vuurwerk van. Door het buskruit knalde het vuurwerk uit elkaar. Of het vloog de lucht in. Aan het begin van ieder jaar staken de Chinezen vuurwerk af. Om de goden een lol te doen. Of om boze geesten weg te jagen.

DIT IS VOOR DIE HELE GROTE BOZE GEEST!

Naar de maan

Na het buskruit kwam de raket. Slimme Chinezen
stopten een buis vol buskruit. Dat staken ze aan. En
daardoor schoot de buis omhoog. Eerst was de raket
gewoon een soort super vuurwerk. Maar al snel schoten
de Chinezen op elkaar!
In de 20ste eeuw werd de raket opnieuw gebruikt. Niet
alleen in de oorlog… Ze schoten er iemand mee naar de
maan! Dat hadden die oude Chinezen vast niet gedacht!

Ho, stop! De Chinezen waren nog niet klaar met
uitvinden! Ze hadden dan wel het buskruit uitgevonden.
En het vuurwerk, en de raket. Maar er was een
probleem. Ze waren elke keer hun raket kwijt.
Daarom bouwden ze kanonnen. Daar kun je beter mee
richten. Bovendien kun je een kanon steeds opnieuw
gebruiken.

Hier blijven!
Kanon (1320)

De Chinezen propten buskruit in een lange buis. Dat was
de loop van het kanon. Daarna deden ze er een kogel in.
Ze staken het buskruit in de brand. Het ontplofte zo hard
dat de kogel eruit schoot. Maar hun buis vloog niet weg.
Eerst waren de kanonnen van hout. Later werden ze van
ijzer of brons gemaakt. Soms kwamen er kogels uit van
wel 25 kilo!
In sommige landen is er nog steeds oorlog. En nog steeds
met raketten en kanonnen. Grote, maar ook kleine…

Mini-kanon

Vuurwapens (1350)

Wat ze in China deden, konden ze in Europa ook! Maar dan beter, vonden ze zelf. Ze maakten kleine kanonnen. Met kleine kogels. Vuurwapens die je kon tillen. Het werkte hetzelfde. Er zat buskruit in. En dat moest je aansteken. Die kleine kanonnen noemden ze geweren.

HEBBEN ZE DIT NIET IN KLEINERE MATEN?

Raar maar waar!

In 1902 was Theodoor Roosevelt president van Amerika. Maar iedereen noemde hem Teddy. Soms ging hij uit jagen. Hij schoot op herten en beren. Op een dag kwam hij een babybeer tegen. Teddy laadde zijn geweer. Hij kon het beertje zo doodschieten. Maar dat deed hij niet. Hij vond het zielig en liet hem leven.
Een winkelier hoorde dat. Hij verkocht speelgoedberen. Hij vond het zo'n mooi verhaal. En daarom noemde hij zijn beren 'Teddyberen'. En zo heten ze nog steeds.

Lawaai *Atoombom (1945)*

Het was vroeger een enorm lawaai op het slagveld. De
kanonnen bulderden, geweren knalden erop los.
Ontploffende bommen, denderende tanks, daverende
vliegtuigen. En geschreeuw van woedende soldaten.
In de Tweede Wereldoorlog werd het nog erger. Het ging
de Amerikanen niet snel genoeg. Zij bouwden een
verschrikkelijke bom. De atoombom. De eerste
atoombom vernietigde in één keer een hele Japanse stad.
De atoombom maakte wel een einde aan die oorlog.

Wie heeft de oorlog eigenlijk uitgevonden...?

Die heb ik thuis ook!

Je huis staat er vol mee

Er zijn duizenden uitvindingen. Bijna alles is door iemand bedacht. De tafel, de stoel. De koelkast en de tv. Soms denk je wel eens: hoe komen ze erop? Nou, je bent niet de enige!
Kijk eens om je heen. Wat zie je allemaal voor uitvindingen? In je slaapkamer, de huiskamer. In de badkamer en in de keuken. De spiegel, de radio, de computer. Je bed, boeken, de bank. O, ben je al op de wc geweest?

Poepdoos

Een wc was vroeger maar een stinkende poepdoos. Die kon je niet doortrekken. En een bril zat er ook niet op. De Romeinen hadden al een soort wc. Hij zag eruit als een stoel. Maar dan met een gat erin.

ZUCHT...

De Middeleeuwen

In de Middeleeuwen was er geen wc meer. Dat vonden de mensen niet nodig. De rijken poepten in de gracht rondom hun kasteel. De armen haalden water om te drinken uit dezelfde gracht. En ze wasten er hun kleren in. Zij poepten niet in hun eigen drinkwater. Dat deden ze in het bos.

Koninklijke kakstoel

Rond 1450 kregen de rijken een kakstoel. Dat was een houten stoel. Met een kistje eronder. Die ving de poep op. Dat kistje stond gewoon in de slaapkamer. Maar ook wel eens in de woonkamer! Lekker luchtje…
De Franse koning Lodewijk had ook een kakstoel. Die stond in zijn paleis. Daar ontving hij vaak zijn onderdanen. Terwijl hij op de kakstoel zat!

Huis vol poep

Lodewijks dienaren zaten op latrines. Dat was een lange plank met gaten erin. Daar zaten ze naast elkaar te poepen. Best gezellig, toch? Maar die latrines waren zó vies! Dienaren gingen vaak liever in de tuin.
Na een tijdje stonk het hele paleis naar poep. Daarom verhuisde de koning. Hij zocht een ander paleis. En kakte daar de boel weer vol.

Doortrekken   *Wc (1596)*

In 1596 vond John Harington de wc uit. Zo een als jij thuis ook hebt. Eentje die je kunt doortrekken.
De eerste wc stond in het paleis van de Engelse koningin. Maar die gebruikte hem niet. Niemand zag het eigenlijk zitten. Zo'n doorspoel-wc. Overdreven vonden ze het. Een gewone kakstoel werkte toch ook? Dat vonden ze tot in de 18de eeuw. Toen wilden de mensen dat alles altijd netjes was. En het was niet netjes om te stinken.

Handen schudden. Dat doe je met rechts. Waarom? Lees dit maar eens.
Vroeger was er geen toiletpapier. Mensen gebruikten hun linkerhand om hun billen af te vegen. En die veegden ze daarna weer af aan de rand van de pot. Daarom!

Waar is de krant?!   *Toiletpapier (1857)*

Niet iedereen gebruikte zijn vingers. Het kon ook met krant. Sommige mensen namen hooi, bladeren en mos. Koning Lodewijk gebruikte zijde. Dat is een hele dure stof.

In 1857 vond een Amerikaan toiletpapier uit. Vijfhonderd velletjes kostten 50 cent. Een slimme landgenoot rolde de velletjes op. En vanaf 1871 werd het zo verkocht.

Nu staan de rollen in elke winkel. Gewoon, naast de melk en de kaas. Je komt het vanzelf tegen. Als je op zoek bent naar een lekker ijsje, bijvoorbeeld.

Ondergronds   *Koelkast (1851)*

Vroeger was ijs niet alleen om op te eten. Ook om te bewaren. Rijke mensen lieten diepe kuilen graven. Daar legden ze dan ijs in. Dat waren ijskelders. Een soort ouderwetse koelkasten.

Het ijs smolt bijna niet. Want onder de grond is het altijd koel. Zelfs in de zomer smolt het niet. In de ijskelder legden de mensen vlees en ander eten. Zo bleef het langer goed.

DOE HET ZELF!

Koelkastspel

Dit heb je nodig:
een gevulde koelkast
twee of meer mensen

En nu aan de slag
Doe de koelkast eens open. Kijk goed wat erin ligt. Doe na een minuut de deur weer dicht. Wat lag er ook alweer in? Schrijf op een blaadje wat je nog weet. Wie het meeste weet, heeft gewonnen!

OEPS...VOLGENS MIJ IS DE DEUR IETS TE LANG OPEN GEWEEST...

Brrr...   *Kachel (1490)*
IJskoud, zo'n koelkast. Snel naar de kachel.
Zolang er vuur is, zoeken mensen het op om warm te worden. Eerst maakten ze gewoon een kampvuur. Buiten, in hun grot of later in hun huis. Midden in de huiskamer. In het dak zat een gat. Dat was de schoorsteen. In 1490 kwam er een ijzeren kachel. Elk huis had er één. Die stond dan in de huiskamer. In de rest van het huis was het koud. Steenkoud! Nu is er cv. Centrale verwarming. Bij de cv stroomt er warm water door buizen. Die buizen lopen door het hele huis. Misschien ook bij jou thuis. Zo wordt het overal lekker warm.

Uitvindingen om op te eten

Om je vingers bij af te likken

Sommige uitvindingen zijn om op eten! Wat dacht je van limonade, chocola en een ijsje? Pizza, cola en kauwgum? Heel af en toe vindt iemand per ongeluk iets lekkers uit. Zoals de ijslolly.

Met een rietje
IJslolly (1923)

Het gebeurde Frank Epperson in 1905. Tenminste, zo vertelde hij het later. Frank zat buiten op de stoep. Hij dronk limonade door een rietje. Ineens werd hij geroepen door zijn vriendjes. Frank zette zijn glas neer. Hij pakte zijn bal en rende de straat uit. Maar zijn glas was nog niet leeg.

's Nachts ging het vriezen. Maar Frank lag lekker warm in zijn bed. Hij droomde dat hij een uitvinder was. Dat hij grote machines bouwde. En dat alle mensen voor hem klapten. Hij was de enige mens die door de ruimte kon vliegen.

IJskoud

De volgende morgen moest Frank naar school. Op de stoep zag hij zijn glas staan. Met de limonade er nog in. Maar die was helemaal bevroren! En het rietje stond er rechtop in. Toen hij het eruit haalde... had hij een ijsje op een stokje! Achttien jaar later, in 1923, dacht Frank weer aan dat ijsje. Misschien kon hij ze wel verkopen! Het werd een succes. Hij verkocht ze door het hele land.

WIE VERKOOPT ER NOU LIMONADE IN DE WINTER...!?

Limonade

Frank had zijn ijslolly nooit kunnen uitvinden, als er geen limonade was. Limonade werd al in 1676 uitgevonden. Het werd gemaakt van citroen, water en honing. Pas in de 19de eeuw was het overal te koop. Ook in Amerika. Eerst was er maar één smaak. Maar dat veranderde snel.

Topgeheim! *Cola (1886)*

Cola bruist. Cola tintelt op je tong. De eerste cola was Coca-Cola. Die kennen we allemaal. Het werd in 1886 gemaakt door John Pemberton. Dat was een Amerikaanse drogist. Wat hij er allemaal in stopte, weet niemand. Het recept is nog steeds geheim! Het wordt veilig bewaard in een kluis. In 1903 dronk iedereen Coca-Cola.

Wie zoete limonade drinkt, moet zijn tanden goed
poetsen. Want een kies laten trekken, is geen pretje.
Zeker vroeger niet. Toen was er nog geen verdoving.
Twee sterke mannen moesten je vasthouden. Of je werd
vastgebonden in een stoel.
In 1799 ontdekte meneer Davy een soort gas. Dat moest
je inademen. En dan voelde je geen pijn. Davy ontdekte
nog iets anders. Het gas maakte de mensen aan het
lachen. Dat was leuk!
Davy gaf feesten. Al zijn gasten gaf hij wat gas. Zo kreeg
hij ze wel aan het lachen! Hij noemde het... lachgas!
Later werd lachgas een attractie op de kermis. Mensen
vielen letterlijk om van het lachen. Sommigen raakten
zelfs bewusteloos. Het werd nog eeuwen door de
tandarts gebruikt. En in het ziekenhuis, als verdoving.
Nu wordt het nog weinig gebruikt. Meestal alleen voor
de lol. Net als in de tijd van meneer Davy.

Mmm, lekker bord! *Pizza (18de eeuw)*

Over eten gesproken… Je mag één keer raden waar pizza's vandaan komen. Ja! Uit Italië. Napels was vroeger een arme stad. Er woonden veel hongerige mensen. Maar er waren te weinig borden. En te weinig vorken. Een slimme bakker verzon er wat op. Hij bakte een bord van deeg. Daar deed hij groenten op. Hij noemde het pizza. Je kon het met je handen eten. En weet je wat zo fijn was? Je hoefde je bord niet af te wassen! Zelfs de koningin at pizza. Ze vond het heerlijk. Meteen liet ze een oven in haar tuin bouwen. Zo kon ze de hele dag pizza's laten bakken. Zoveel als ze wilde.

Raad 'm maar waar!

De oude Grieken kauwden op gom. Zo kregen ze een frisse adem. Gom? Dat is sap uit een boom. Ook de indianen deden het. Zij haalden het sap uit een spar. Dat is een kerstboom!

In 1869 kreeg Thomas Adams een idee. Hij wilde rubber maken van die gom. Met rubber kon hij van alles doen. Zoals fietsbanden maken. Of schoenzolen. Maar het mislukte! Teleurgesteld stopte hij de gom in zijn mond. Hé, dat kauwde best lekker! Snel stampte hij een fabriek uit de grond. En verkocht zijn gom als kauwgum.

Over patat en duikboten

Uitvindingen in Nederland en België

Bij Nederland denk je misschien aan kaas. Dat wordt er
ook veel gemaakt. Maar dat hebben de Nederlanders niet
zelf verzonnen. Kaas komt uit het verre oosten.
Bij België denk je zeker aan patat. Dat wordt er ook veel
gemaakt. En dát hebben de Belgen wel zelf verzonnen!

Aardappelvis   *Patat (1680)*

In de Belgische stad Dinant hadden ze vroeger een
lekkernij. Kleine gebakken visjes. Iedereen smulde ervan.
Net zo lang tot alle visjes op waren. De mensen stonden
met hun handen in het haar. Wat moesten ze nu eten?
Gelukkig was er een slimme kok. Hij sneed een dikke
aardappel in kleine stukjes. Precies in de vorm van een
visje.
'Ik heb nog vis! Kom maar eten,' riep hij tegen de
mensen op straat. Hij deelde zijn gebakken reepjes uit.
De mensen vonden het heerlijk. Ze wilden weten wat
voor vis het was.
'Gebakken aardappelvis,' lachte de kok.
'Doe ons dan nog maar een portie,' riep iedereen
tegelijk.

Druktemaker

Ook de Nederlander Hans Janssen maakte zich druk om
kleine beestjes. Maar dat waren geen visjes…

Spinnentanden   *Microscoop (1600)*

Met een microscoop kun je kleine dingen goed bekijken.
Je ziet ze dan heel groot. Een vlo lijkt wel een harige
hond. En een stofje lijkt een warrige bol wol. Hans
Janssen bouwde de eerste microscoop in 1600. Erg goed
was die niet. Je zag daarmee geen verschil tussen de vlo
en het stofje.
Antoni van Leeuwenhoek maakte ook een microscoop.
Een betere. Daarmee zag hij wel alles. Zelfs de tenen van
een vlieg. De ogen van een tor. En de tanden van een
dikke spin.

Groot   *Telescoop (1608)*

De Nederlanders wilden alles groter zien. Misschien
omdat Nederland zo klein is. In 1608 vond Hans
Lippershey de telescoop uit. Daarmee kon hij heel ver
kijken. Dingen in de verte zag hij dichtbij. Hij zag de
schepen aan de horizon. De vijand boven op de heuvel.
En de sterren aan de hemel. Hans was dolblij. Hij vertelde
iedereen van zijn uitvinding. Maar niemand wilde het
horen. De bazen van het land vonden het maar onzin.
Wat moest een mens nou toch met een telescoop?

Galileo draait het om!

In Italië leefde een groot geleerde. Hij heette Galileo. Hij bouwde meteen ook een telescoop. Maar hij noemde het een verrekijker. Daarmee bestudeerde hij de maan. De sterren en planeten. In Italië waren ze er wel blij mee. Maar het leek nu net of Galileo de telescoop had uitgevonden. Hij kreeg veel geld. En vertelde iedereen wat hij zag. De maan, de sterren en de planeten. Galileo werd wereldberoemd. Maar wie kent Hans Lippershey nog?

Onder water   *Duikboot (1620)*

Geloof het of niet! De duikboot is door een Nederlander uitgevonden. Cornelis Drebbel bouwde hem in 1620. Van hout en leer. Hij voer ermee door een rivier.
In de duikboot zaten twaalf roeiers. Zij ademden door grote snorkels. Zelfs de koning ging een keer kopje onder. Nu zijn duikboten van staal. De marine vaart ermee door de zee. Kijk maar uit als je gaat zwemmen. Ze kunnen overal zitten!

Ongeluk

De koning ging kopje onder met de duikboot. Dat is nog niet zo erg. Maar een spiegel in duizend scherven... Dat is zeven jaar ongeluk, zeggen ze! Vraag dat maar aan Joseph Merlin. Hij is de uitvinder van de rolschaats.

Spiegeltje, spiegeltje   *Rolschaats (1770)*

Rolschaatsen komen uit België. Joseph Merlin rolde er als eerste mee over de grond. Hij probeerde ze in 1770 voor het eerst uit. Dat was op een heel sjiek feestje. De hele avond reed hij door de kamer. Van het raam naar de deur. En weer terug.
Toen zag Joseph een bekende. Hij wilde een bocht maken. Maar dat kon hij nog niet zo goed. Hij probeerde het toch. Daar ging hij... O o, wie was dat toch?!
Beng! Joseph knalde hard tegen een grote spiegel.
Hij was het zelf!

Word jij ook zo beroemd?

Is het je ook opgevallen? Heel veel uitvindingen zijn al heel oud. Wordt het niet eens tijd voor iets nieuws?
Jij hebt het boek gelezen. Jij weet nu wat een uitvinding is. Misschien kun jij iets nieuws uitvinden. Dan word je ook beroemd!

Register